Padia
y los trampolinos

MONTAÑA ENCANTADA

Para Claudia,
Irene y Andrés

Teresa Novoa

Padia
y los trampolinos

EVEREST

Tengo sueño, mucho mucho sueño...

sueño, sueñooO

De repente...

trampolino

¡Oh! Ahora hay...

2 trampolinos

3 trampolinos

4

trampolinos

muchísimos tram po li nos

... y Padia.

17

¡Qué miedo!
Los trampolinos
¿Son malos?

Algunas veces
son buenos...

¡Oh, no!

¡¡Son unos gamberros!!

Mamá y papá
encienden la luz.
—Padia, ¿qué te
pasa? —preguntan.

¡Trampolinos!

¡Muchísimos trampolinos!
—dice Padia.

—Bueno —dice mamá—. Pero ya se han marchado. Tápate bien y vuelve a dormirte.

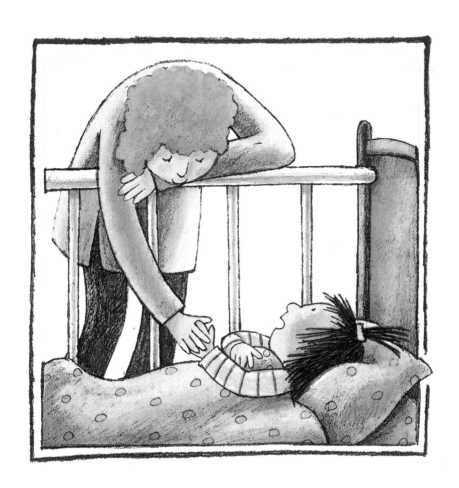

—¿Y si vuelven?
—pregunta Padia.

—No —dice papá mientras rebusca debajo de la cama—, no volverán.

—Hemos encontrado al "Gran Orejetas", domador de trampolinos.

Coordinación Editorial: Ana María García Alonso
Maquetación: Cristina A. Rejas Manzanera
Diseño de cubierta: Jesús Cruz

SEGUNDA EDICIÓN

© Teresa Novoa
© Editorial Everest, S. A.
Carretera León-La Coruña, km 5 - LEÓN
ISBN: 84-241-5974-8
Depósito legal: LE. 338-2002
Printed in Spain - Impreso en España

EDITORIAL EVERGRÁFICAS, S. L.
Carretera León-La Coruña, km 5
LEÓN (España)